¡Vamos Hendo!
Un camino de Vida

Por Isaqueena

Mountain Page Press
HENDERSONVILLE, NC

Hendo es una manera de vivir...

¡Gracias por su apoyo!
Una porción de las ganancias de la venta de estos libros beneficiará a organizaciones benéficas locales.

Mountain Page Press | 118 5th Ave West, Hendersonville, NC 28792 | www.mountainpagepress.com
Let's Go Hendo! A Life Line / Isaqueena – 1st Edition, Spanish – ISBN 978-1-952714-50-4
Public Art & Sidewalk Mural Commissions: https://www.luckenboothstudios.com/

Para el condado de Henderson, en Carolina del Norte
y para todas sus criaturas grandes y pequeñas.

Un viaje activo y transformador a través de diversos paisajes y experiencias durante el cual,
todo el que participa aprende algo del mundo que nos rodea, su lugar en él, y quizás algo sobre sí mismo.

4

¡Vamos Hendo!

Vamos a una Aventura.

Vamos a ver lo que podemos ver,
Vamos a ver que será.

Aquí hay un Arroyo,

Vamos a saltar a través de él.

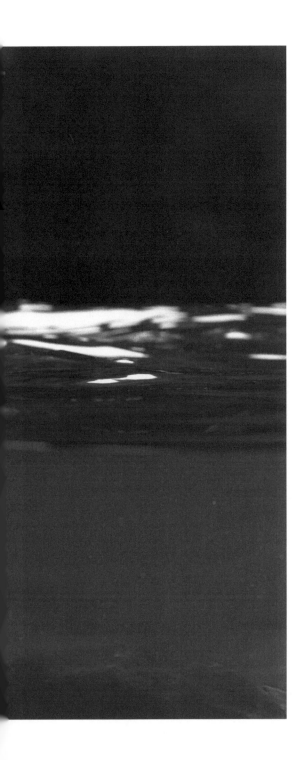

¡Se ha convertido en un rio!

Vamos a fluir con él.

Más adelante hay un Pantano.

¡Vamos a saltar sobre él!

Mira lo que podemos ver.
Mira lo que podemos ser.

Aquí hay una Pradera.

Detengámonos a oler las flores.

¡Contemplar las mariposas y las abejas!

Estos Bosques se ven Oscuros y Aterradores.

¡Vamos A Entrar!

16

Encuentra un árbol Alto.

Sube más alto de lo que nunca te has atrevido.

Explora todos los caminos frente a ti.

Mira lo que puedes ver.
Mira lo que puedes ser.

Revolotea por ahí.

Disfruta de una Vista Diferente.

Extiende tus alas.

Elévate con los vientos bien arriba.

Cruza con Seguridad.

Empieza a descender,
aterriza en una ladera soleada.

Haz una lista de donde has estado,
hacia dónde vas,
y a dónde estás Ahora.

Mira lo que puedes ver.
Mira lo que puedes ser.

¡Lo lograste!

Estírate

Corre

Baila

Celebra tu Camino Hacia la Meta Final.

¡Relájate, Lo has Logrado!

Mira a Ambos Lados,
Atraviesa las Montañas.

¡Disfruta de los Osos, las Abejas y de lo que se Atraviese en tu Camino!

Mira lo que puedes ver.
Mira lo que serás.

 El Fin.

Datos Divertidos y Recursos

¡Vamos Hendo! Un Camino de Vida, tiene su propia expresión de vida real en un mural y acera ubicada en el centro de Hendersonville, NC, comenzando en el mural For the Good for the Hive ubicada en la esquina de 3ra Avenida y King Street. Esta experiencia de arte pública y de salud impulsada por la comunidad está prevista para comenzar a finales de mayo 2022.

Aquí puedes conseguir unos datos divertidos para considerar cuando lea este libro y al visitar esta experiencia en la acera llamada Hendo Un Camino de Vida. ¡Recuerda, goza y disfruta de este lugar mágico!

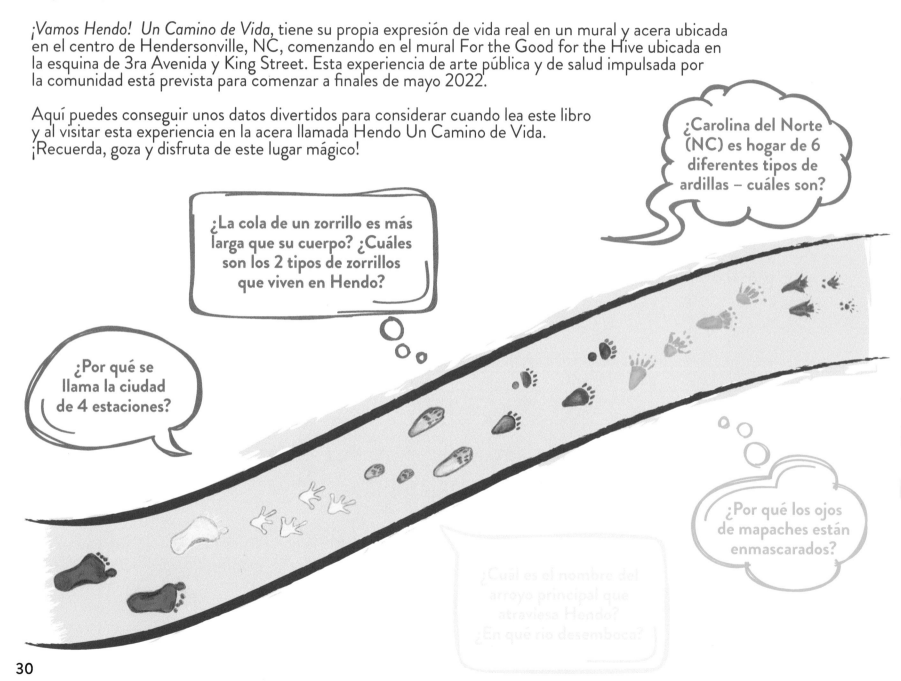

¿Carolina del Norte (NC) es hogar de 6 diferentes tipos de ardillas – cuáles son?

¿La cola de un zorrillo es más larga que su cuerpo? ¿Cuáles son los 2 tipos de zorrillos que viven en Hendo?

¿Por qué se llama la ciudad de 4 estaciones?

¿Por qué los ojos de mapaches están enmascarados?

¿Cuál es el nombre del arroyo principal que atraviesa Hendo? ¿En qué río desemboca?

For the Good of the Hive (Por el Bien de la Colmena)
King Street – 3 Avenida @ Hands On! Museo de Niños
Mural del Polinizador creado por Matt Wiley. Para más información sobre el proyecto mundial de murales de Matt Wiley, para crear conciencia de las abejas y otros polinizadores, visite la página web ForTheGoodOfTheHive.com.

Hendo Beeline
Maple Street - 5 Avenida a 7 Avenida
Parte del Bee City USA Pollinator Trail, es un mural de acera diseñado por David y Elizabeth Queen y pintado con la ayuda de más de 200 voluntarios.

Cruze de La Montaña
5 Avenida – Grove Street a Pine Street
Mural de acera creado por Diamond Cash.

ASL Hendo
5 Avenida – Pine Street a Maple Street
Mural de acera creado por Diamond Cash.

¿Qué polinizadores de gran alcance se detienen en Hendo durante su migración anual?

¿Puedes nombrar alguna de las montañas, parques nacionales o estadales cercanas?

¿Durante que mes se celebra el famoso Festival de la Manzana en Hendo?

¿Cuántos polinizadores puedes conseguir en el mural For The Good of the Hive?

¿Cuántos pájaros puedes nombrar que hacen su hogar en Hendo por al menos una parte del año? ¿Cuántos has visto?

31

Sobre el Autor

Isaqueena vive localmente en Hendersonville y es apasionada por el arte público inclusivo y la sostenibilidad. Cuando no está creando con la comunidad, probablemente está en su jardín orgánico, practicando apicultura o acompañada por su amado escocés y sus perros montañeros.

Inspiración y Apoyo

Bea Marti
Bee City USA Hendersonville (*BullingtonGardens.org*)
Boys & Girls Club of Hendersonville (*BGCHendersonCo.org*)
Carl Sandburg Home National Historic Site
Casper Holloway - Rainbow Dinosaur
City of Hendersonville
Courtney Hoelsher (*CHoelscherArt.com*) and
    y muchos talentosos artistas de Hendersonville High School
Diamond Cash (*ArtworkByDiamondCash.com*)
Friends of Hendersonville
Hendersonville BeeKeepers Association (*HCBeekeepers.org*)
Hendersonville Tree Board
Kim Bailey y
    Milkweed Meadows Farm (*Meadow & Monarch Photos*)
LS Creative (*LSCreative.studio*)
Luckenbooth Studios (*LuckenboothStudios.com*)
Mountain Page Press (*MountainPagePress.com*)
NCWildlife.org
Rosie y Matthew Rogers
Sofia Fernandez
Suzanne Camarata
Thuis Gymmen (*"Giant Hopscotch Inspiration"*)
True Ridge (*TrueRidge.org*)
YAM (*Keri Ann, Tish, iamyam.com*)